在教育文化卫生体育领域专家代表座谈会上的讲话

（2020年9月22日）

习 近 平

人 民 出 版 社

图书在版编目(CIP)数据

在教育文化卫生体育领域专家代表座谈会上的讲话/
习近平 著. —北京:人民出版社,2020.9
ISBN 978-7-01-022511-1

Ⅰ.①在… Ⅱ.①习… Ⅲ.①习近平-讲话-学习参考资料②教育事业-发展-中国-学习参考资料③文化事业-发展-中国-学习参考资料④卫生工作-中国-学习参考资料⑤体育事业-发展-中国-学习参考资料 Ⅳ.①D2-0②G521③G12④R199.2⑤G812

中国版本图书馆 CIP 数据核字(2020)第 184135 号

(RMC-ZJDXI-096-20200922)

在教育文化卫生体育领域专家代表座谈会上的讲话
ZAI JIAOYU WENHUA WEISHENG TIYU LINGYU
ZHUANJIA DAIBIAO ZUOTANHUI SHANG DE JIANGHUA

(2020 年 9 月 22 日)

习 近 平

人民出版社 出版发行
(100706 北京市东城区隆福寺街 99 号)

北京新华印刷有限公司印刷 新华书店经销

2020 年 9 月第 1 版 2020 年 9 月北京第 1 次印刷
开本:880 毫米×1230 毫米 1/32 印张:0.5
字数:7 千字

ISBN 978-7-01-022511-1 定价:2.00 元

邮购地址 100706 北京市东城区隆福寺街 99 号
人民东方图书销售中心 电话 (010)65250042 65289539

在教育文化卫生体育领域专家代表座谈会上的讲话

（2020年9月22日）

习　近　平

今天，我们召开教育文化卫生体育领域专家代表座谈会，听听大家对“十四五”规划编制的意见和建议。刚才，大家作了很好的发言，从各自专业领域出发，对“十四五”时期发展思路、任务、举措提出了很有价值的意见和建议，参会的其他专家和代表提交了书面发言，请有关方面研究吸收。

“十四五”时期是我国全面建成小康社会、实现第一个百年奋斗目标之后，乘势而上开启全面建设社会主义现代化国家新征程、向第二个百年奋斗目标进军的第一个五年，我国将进入新发展阶段。用中长期规划指导经济社会发展，是我们党治国理政的一种重要方式。我们要着眼长远、把握大势，开门问策、集思广益，把加强顶层设计和坚持问计于民结合起来，把社会期盼、群众智慧、专家意见、基层经验充分吸收到规划编制中来。

关于教育、文化、卫生、体育工作，党的十八大以来党中央作出一系列战略部署，我也多次发表讲话、提出要求，各级党委和政府要抓好落实工作。今天，我就其中一些重要问题讲点意见。

第一，培养担当民族复兴大任的时代新人。教育是国之大计、党之大计。党的十八大以来，党中央高度重视教育工作，召开全国教育大会，印发《中国教育现代化2035》，全面加强各级各类学校思想政治工作，推进教育领域综合改革，强化教材建设国家事权地位，教育面貌正在发生格局性变化。

“十四五”时期，我们要从党和国家事业发展全局的高度，全面贯彻党的教育方针，坚持优先发展教育事业，坚守为党育人、为国育才，努力办好人民满意的教育，在加快推进教育现代化的新征程中培养担当民族复兴大任的时代新人。要坚持社会主义办学方向，把立德树人作为教育的根本任务，发挥教育在培育和践行社会主义核心价值观中的重要作用，深化学校思想政治理论课改革创新，加强和改进学校体育美育，广泛开展劳动教育，发展素质教育，推进教育公平，促进学生德智体美劳全面发展，培养学生爱国情怀、社会责任感、创新精神、实践能力。

人力资源是构建新发展格局的重要依托。要优化同新发展格局相适应的教育结构、学科专业结构、人才培养结构。要完善全民终身学习推进机制，构建方式更加灵活、资源更加丰富、学习更加便捷的终身学习体系。要大力发展职业教育和培训，有效提升劳动者技能和收入水平，通过实现更加充分、更高质量的就业扩大中等收入群体，释放内需潜力。

提升自主创新能力，尽快突破关键核心技术，是构建新发展格局的一个关键问题。我国高校要勇挑重担，释放高校基础研究、科技创新潜力，聚焦国家战略需要，瞄准关键核心技术特别是“卡脖子”问题，加快技术攻关。要支持“双一流”建设高校加强科技创新工作，依托高水平大学布局建设一批研究设施，推进产学研一体化。要深化高校人才队伍建设改革，建设高素质教师队伍，培养更多一流人才。要立足服务国家区域发展战略，优化区域教育资源配置，加快形成点线面结合、东中西呼应的教育发展空间格局，提升教育服务区域发展战略水平。

要全面深化教育领域综合改革，增强教育改革的系统性、整体性、协同性。要抓好深化新时代教育评价改革总体方案出台和落实落地，构建符合中国实际、具有世界水平的评价体系。要总结应对新冠肺炎疫情以来大规模在线教育的经验，利用信息技术更新教育理念、变革教育模式。要扩大教育对外开放，优化教育开放全球布局，加强国际科技交流合作，提升层次和水平。同时，要守住安全底线，确保正确政治方向。

第二，把文化建设摆在更加突出位置。中国特色社会主义是全面发展、全面进步的伟大事业，没有社会主义文化繁荣发展，就没有社会主义现代化。党的十八大以来，我们把文化建设提升到一个新的历史高度，把文化自信和道路自信、理论自信、制度自信并列为中国特色社会主义“四个自信”，把坚持马克思主义在意识形态领域指导地位的制度确立为中国特色社会主义制度体系的一项根本制度,把坚持社会主义核心价值体系纳入新时代坚持和发展中国特色社会主义的基本方略。这几年,我国文化建设在正本清源、守正创新中取得历史性成就、发生历史性变革,为新时代坚持和发展中国特色社会主义、开创党和国家事业全新局面提供了强大正能量。

我多次强调,要坚定文化自信,推动中华优秀传统文化创造性转化、创新性发展,继承革命文化,发展社会主义先进文化,不断铸就中华文化新辉煌,建设社会主义文化强国。统筹推进"五位一体"总体布局、协调推进"四个全面"战略布局,文化是重要内容;推动高质量发展,文化是重要支点;满足人民日益增长的美好生活需要,文化是重要因素;战胜前进道路上各种风险挑战,文化是重要力量源泉。"十四五"时期,我们要把文化建设放在全局工作的突出位置,切实抓紧抓好。要坚持马克思主义在意识形态领域的指导地位,坚守中华文化立场,坚持以社会主义核心价值观引领文化建设,紧紧围绕举旗帜、聚民心、育新人、兴文化、展形象的使命任务,加强社会主义精神文明建设,繁荣发展文化事业和文化产业，不断提高国家文化软实力，增强中华文化影响力，发挥文化引领风尚、教育人民、服务社会、推动发展的作用。

文明是现代化国家的显著标志。要把提高社会文明程度作为建设社会主义文化强国的重大任务，坚持重在建设、以立为本，坚持久久为功、持之以恒，努力推动形成适应新时代要求的思想观念、精神面貌、文明风尚、行为规范。要深化党的创新理论学习教育，推动理想信念教育常态化制度化，加强党史、新中国史、改革开放史、社会主义发展史教育，加强爱国主义、集体主义、社会主义教育，引导人们坚定道路自信、理论自信、制度自信、文化自信，促进全体人民在思想上精神上紧紧团结在一起。要深入研究中华文明、中华文化的起源和特质，形成较为完整的中国文化基因的理念体系。要深入推进公民道德建设、志愿服务建设、诚信社会建设、网络文明建设，不断提高人民道德水准和文明素养。要提倡艰苦奋斗、勤俭节约，坚决反对铺张浪费，在全社会营造浪费可耻、节约光荣的浓厚氛围。

发展文化事业是满足人民精神文化需求、保障人民文化权益的基本途径。要坚持为人民服务、为社会主义服务的方向，坚持百花齐放、百家争鸣的方针，全面繁荣新闻出版、广播影视、文学艺术、哲学社会科学事业，着力提升公共文化服务水平，让人民享有更加充实、更为丰富、更高质量的精神文化生活。要推进城乡公共文化服务体系一体建设，优化城乡文化资源配置，完善农村文化基础设施网络，增加农村公共文化服务总量供给，缩小城乡公共文化服务差距。

衡量文化产业发展质量和水平，最重要的不是看经济效益，而是看能不能提供更多既能满足人民文化需求、又能增强人民精神力量的文化产品。要坚持把社会效益放在首位、社会效益和经济效益相统一，深化文化体制改革，完善文化产业规划和政策，不断扩大优质文化产品供给。要顺应数字产业化和产业数字化发展趋势，加快发展新型文化业态，改造提升传统文化业态，提高质量效益和核心竞争力。要围绕国家重大区域发展战略，把握文化产业发展特点规律和资源要素条件，促进形成文化产业发展新格局。文化产业和旅游产业密不可分，要坚持以文塑旅、以旅彰文，推动文化和旅游融合发展，让人们在领略自然之美中感悟文化之美、陶冶心灵之美。

第三，大力发展卫生健康事业。人民健康是社会文明进步的基础，是民族昌盛和国家富强的重要标志，也是广大人民群众的共同追求。党的十八大以来，党中央把维护人民健康摆在更加突出的位置，召开全国卫生与健康大会，确立新时代卫生与健康工作方针，印发《"健康中国 2030"规划纲要》，发出建设健康中国的号召，明确了建设健康中国的大政方针和行动纲领，人民健康状况和基本医疗卫生服务的公平性可及性持续改善。这次应对新冠肺炎疫情，医药卫生体系经受住了考验，为打赢疫情防控阻击战发挥了重要作用，为维护人民生命安全和身体健康、恢复经济社会发展作出了重要贡献。

研究谋划"十四五"时期卫生健康发展，要站位全局、着眼长远，聚焦面临的老难题和新挑战，拿出实招硬招，全面推进健康中国建设。

当前，人类正在经历第二次世界大战结束以来最严重的全球公共卫生突发事件，新冠肺炎疫情仍在全球蔓延，我国面临多重疾病负担并存、多重健康影响因素交织的复杂状况，特别是突发急性传染病传播迅速、波及范围广、危害巨大，同时人民群众多层次多样化健康需求持续快速增长，健康越来越成为人民群众关心的重大民生福祉问题。加快提高卫生健康供给质量和服务水平，是适应我国社会主要矛盾变化、满足人民美好生活需要的要求，也是实现经济社会更高质量、更有效率、更加公平、更可持续、更为安全发展的基础。

要把人民健康放在优先发展战略地位，努力全方位全周期保障人民健康，加快建立完善制度体系，保障公共卫生安全，加快形成有利于健康的生活方式、生产方式、经济社会发展模式和治理模式，实现健康和经济社会良性协调发展。要坚定不移贯彻预防为主方针，坚持防治结合、联防联控、群防群控，建立稳定的公共卫生事业投入机制，加快理顺体制机制、完善基础设施、提升专业能力，加大疾病预防控制体系改革力度，增强早期监测预警能力、快速检测能力、应急处置能力、综合救治能力。要在做好常态化疫情防控的同时，聚焦影响人民健康的重大疾病和主要问题，加快实施健康中国行动，深入开展爱国卫生运动，完善国民健康促进政策，创新社会动员机制，健全健康教育制度，强化重点人群和重大疾病综合防控，从源头上预防和控制重大疾病，实现从以治病为中心转向以健康为中心。

要坚持基本医疗卫生事业的公益性，坚持政府主导，强化政府对卫生健康的领导责任、投入保障责任、管理责任、监督责任。要加大公立医疗卫生机构建设力度，加强国家医学中心、区域医疗中心、县级医院建设，加快优质医疗资源扩容和区域均衡布局，让广大人民群众就近享有公平可及、系统连续的预防、治疗、康复、健康促进等健康服务。要推进县域医共体建设，改善基层基础设施条件，落实乡村医生待遇，提高基层防病治病和健康管理的能力。要促进中医药传承创新发展，坚持中西医并重和优势互补，建立符合中医药特点的服务体系、服务模式、人才培养模式，发挥中医药的独特优势。要集中力量开展关键核心技术攻关，解决一批药品、医疗器械、疫苗等领域“卡脖子”问题。要高度重视新一代信息技术应用，加快“互联网+医疗健康”发展。要深化医疗卫生体制改革，加快健全分级诊疗制度、现代医院管理制度、全民医保制度、药品供应保障制度、综合监管制度，合理制定并落实公立医疗卫生机构人员编制标准并建立动态核增机制。要大力弘扬伟大抗疫精神，在全社会营造尊医重卫的良好风尚。要认真总结疫情防控中经过实践检验的经验和模式，用制度形式予以固化。要加强国际交流合作，完善我国参与国际重特大突发公共卫生事件应对工作机制，履行国际义务，发挥全球抗疫物资最大供应国作用，推动构建人类卫生健康共同体。

第四，加快体育强国建设。体育是提高人民健康水平的重要途径，是满足人民群众对美好生活向往、促进人的全面发展的重要手段，是促进经济社会发展的重要动力，是展示国家文化软实力的重要平台。党的十八大以来特别是“十三五”时期，我们全面推进群众体育、竞技体育、体育产业、体育文化等各方面发展，深入实施全民健身国家战略，提升体育公共服务水平，大力发展冰雪运动，体育事业取得长足发展。

“十四五”时期，要科学研判体育发展面临的新形势,坚持问题导向,聚焦重点领域和关键环节,深化改革创新,不断开创体育事业发展新局面。

要紧紧围绕满足人民群众需求,统筹建设全民健身场地设施,构建更高水平的全民健身公共服务体系。要推动健康关口前移,建立体育和卫生健康等部门协同、全社会共同参与的运动促进健康新模式。要坚持健康第一的教育理念,加强学校体育工作,推动青少年文化学习和体育锻炼协调发展,帮助学生在体育锻炼中享受乐趣、增强体质、健全人格、锻炼意志。要探索中国特色"三大球"发展路径,持续推进冰雪运动发展。要推动体育产业高质量发展,不断满足体育消费需求。要加快推进体育改革创新步伐,更新体育理念,借鉴国外有益经验,为我国体育事业发展注入新的活力和动力。要创新竞技体育人才培养、选拔、激励保障机制和国家队管理体制。要坚决推进反兴奋剂斗争,强化拿道德的金牌、风格的金牌、干净的金牌意识,坚决做到兴奋剂问题"零出现"、"零容忍"。

要妥善应对新冠肺炎疫情带来的影响,统筹做好东京奥运会和北京冬奥会各项工作,发挥我国竞技体育举国体制优势，牢固树立全国一盘棋思想，全力做好东京奥运会备战参赛工作，同时高质量筹办北京冬奥会、冬残奥会，实现办赛精彩、参赛出彩的目标。